시원한 응가

모리야 루리 그림 · 나나오 준 글 · 이선아 옮김

시공주니어

배가 꾸르륵꾸르륵
엉덩이가 간질간질.
아, 더 이상 못 참겠다!
하나는 달리고 달려서
집으로 갔어요.

가방을 휙!
바지를 훌렁!
팬티도 훌렁!
엄마한테 인사도 하지 않고
화장실로 뛰어갔어요.

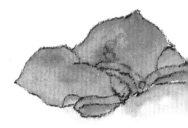

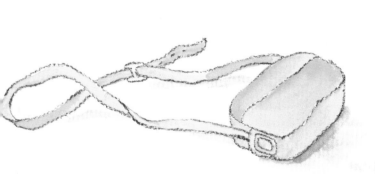

똥이 뿌지직, 뿌욱 뿍.
오줌도 쉬.
아, 시원해!

하나는 늘 궁금했어요.
"똥은 왜 나올까?"

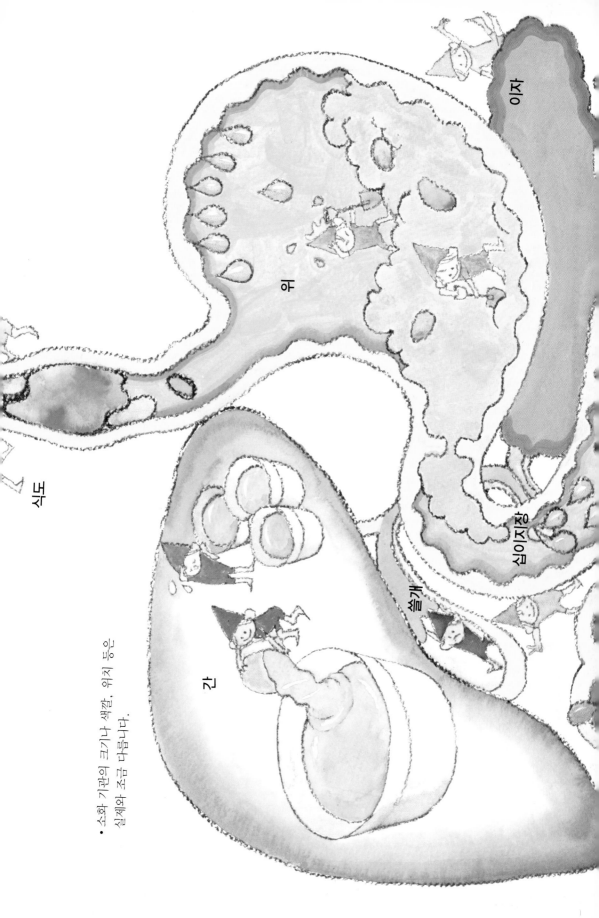

이자

식도

위

간

쓸개

샘이자창

• 소화 기관의 크기나 색깔, 위치 등은
  실제와 조금 다릅니다.

그건 바로

하나가 날마다

여러 가지 음식을 먹기 때문이지요.

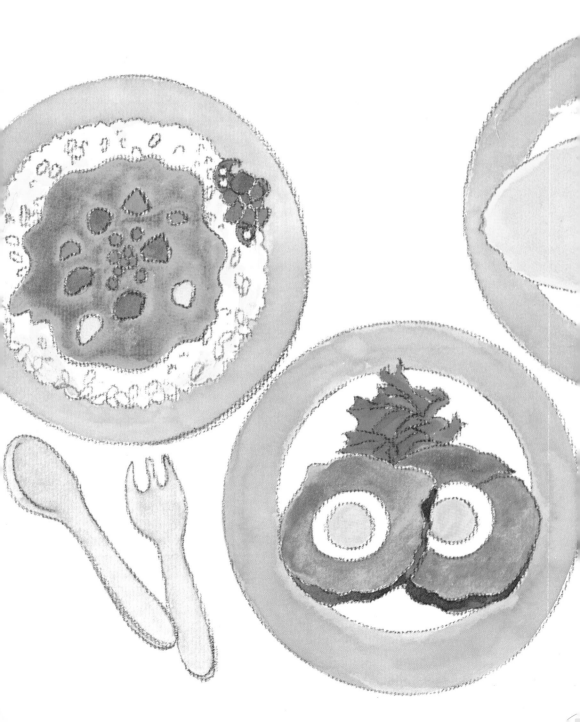

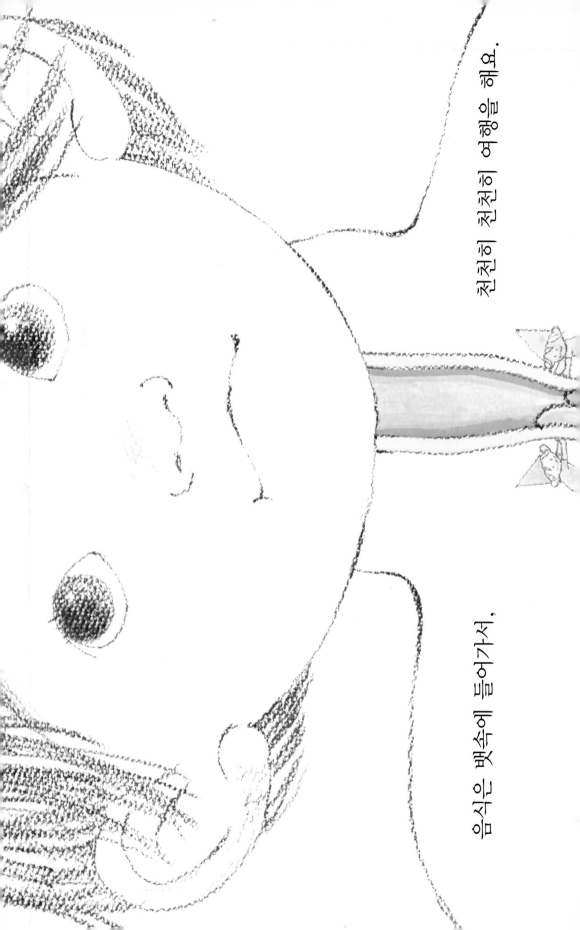

천천히 천천히 여행을 해요.

음식은 뱃속에 들어가서,

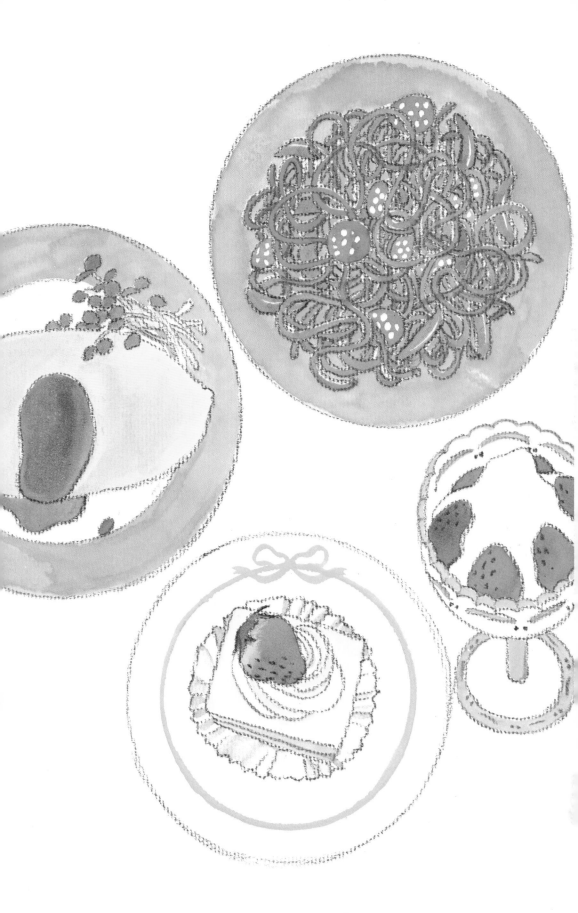

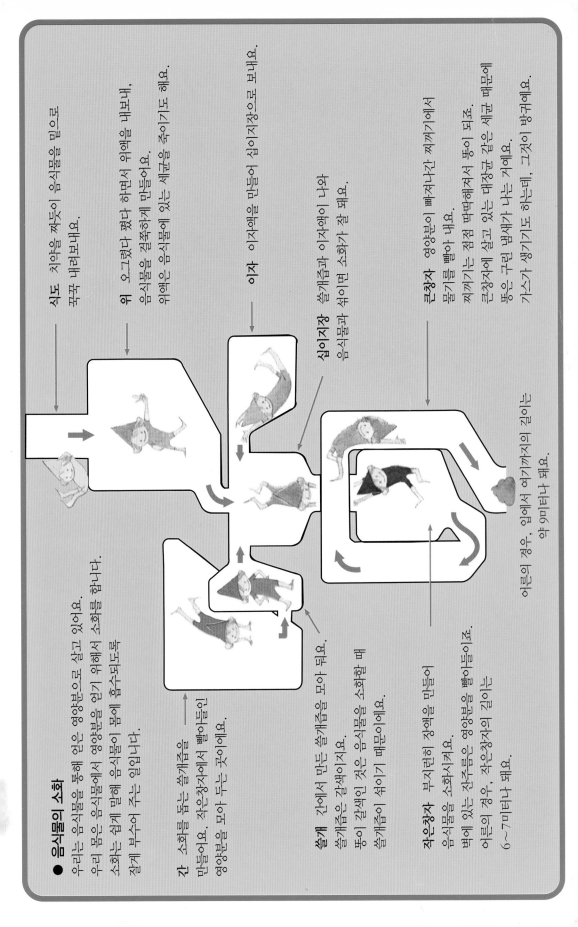

● 음식물의 소화

우리는 음식물을 통해 얻은 영양분으로 살고 있어요.
우리 몸은 음식물에서 영양분을 얻기 위해서 소화를 합니다.
소화는 쉽게 말해 음식물이 몸에 흡수되도록
잘게 부수어 주는 일입니다.

간 소화를 돕는 쓸개즙을
만들어요. 작은창자에서 빨아들인
영양분을 모아 두는 곳이에요.

쓸개 간에서 만든 쓸개즙을 모아 둬요.
쓸개즙은 갈색이지요.
똥이 갈색인 것은 음식물을 소화할 때
쓸개즙이 섞이기 때문이에요.

작은창자 부지런히 장액을 만들어
음식물을 소화시켜요.
벽에 있는 잔주름은 영양분을 빨아들이죠.
어른의 경우, 작은창자의 길이는
6～7미터나 돼요.

식도 치아로 씹은 음식물을 밑으로
쭉쭉 내려보내요.

위 오그랐다 폈다 하면서 위액을 내보내,
음식물을 걸쭉하게 만들어요.
위액은 음식물에 있는 세균을 죽이기도 해요.

이자 이자액을 만들어 십이지장으로 보내요.

십이지장 쓸개즙과 이자액이 나와
음식물과 섞이면 소화가 잘 돼요.

큰창자 영양분이 빠져나간 찌꺼기에서
물기를 빼아 내요.
찌꺼기는 점점 딱딱해져서 똥이 되죠.
큰창자에 살고 있는 대장균 같은 세균 때문에
똥은 구린 냄새가 나는 거예요.
가스가 생기기도 하는데, 그것이 방귀예요.

어른의 경우, 입에서 여기까지의 길이는
약 9미터나 돼요.

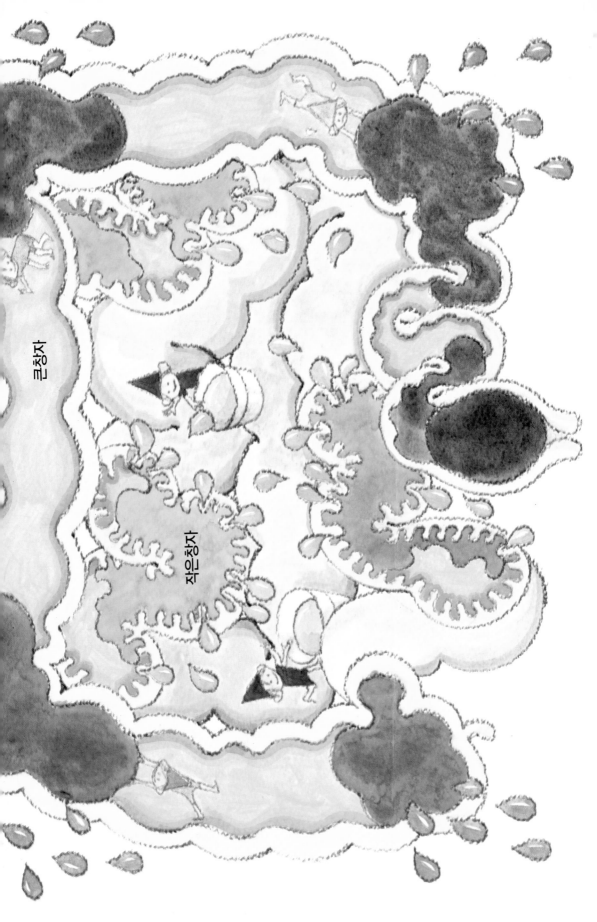

방귀가 뿡뿡.
방귀와 같이
똥이 뿌지직뿌지직, 뿍.

똥은 음식물에서
영양분을 빼내고 남은
찌꺼기예요.

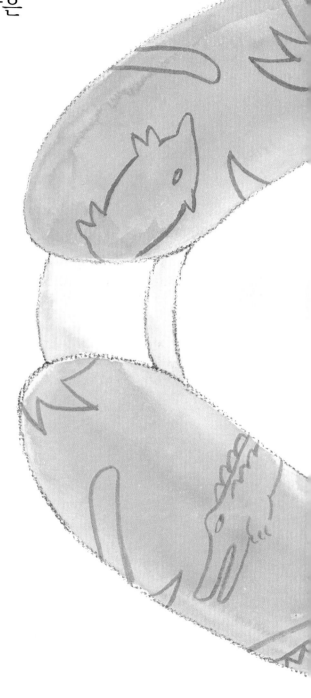

하나는 날마다 밥을 먹고,
날마다 똥을 누며
자랐어요.

하지만 꼭꼭 씹어 먹지 않거나
너무 많이 먹으면,
배가 꾸르륵꾸르륵거리고
따끔따끔 아프다가……

흐물흐물한 똥이 나왔어요.

이제부터 꼭꼭 씹어서
골고루 잘 먹으면

하나는 날마다
좋은 똥을 누고
무럭무럭 자랄 거예요.

● 부모님께

나와야 하니까 나오는 '똥'

－오스카 쇼지(도쿄 가정대학 육아학과 교수,
아소카 병원 소아과 의사)

1. 똥은 건강의 '척도'인가?

여러분은 '똥'을 어떻게 생각하십니까? '냄새
난다, 더럽다' 등 좋은 이미지와는 거리가 먼 것
같습니다. 그런데 나는 똥의 맛까지 연구하여
소아과 의사가 되고 박사가 되었습니다. 똥도
여러 종류지요.

흔히 '똥은 건강의 척도'라고 합니다. 눈으로
볼 수 없는 몸 속에서, 눈으로 볼 수 있는 형태
로 나오는 똥은 몸의 구조나 몸 속에서 일어나
는 다양한 변화를 알려 줍니다. 하지만 똥만으
로 몸 상태나 건강 상태를 다 알 수는 없습니다.
똥과 마찬가지로, '오줌'도 몸 상태를 아는 데
중요합니다.

2. 다양한 똥

그럼, 똥에 관한 일반적인 생각부터 정리해
볼까요?

① 좋은 똥, 나쁜 똥에 대한 생각
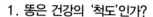
굳기나 색깔, 냄새 등으로 판단하더라도 어떤

똥이 좋다, 나쁘다고 한마디로 말하기는 어렵습
니다. 개인차가 있을 뿐 아니라 음식물의 종류,
양, 횟수 등이 그날 그날 달라지기 때문이지요.
다만 똥의 색깔이 희거나 초록빛 또는 검은빛을
띨 때, 피나 고름, 점액, 제대로 소화되지 못한
음식물 등이 섞여 있을 때는 일단 조심해야 합
니다.

② 설사에 대하여
일반적으로 배변 횟수가 많으면 설사라고 생각
하기 쉽지만, 사실 횟수와는 관계가 없습니다.
설사는 단지 수분이 많은 똥을 말합니다. 굳기나
형태에 따라 물똥, 진똥, 무른 똥 등이 있습니다.

또 설사를 곧 병이라고 단정 짓는 것도 좋지
않습니다. 몸에 아무 이상이 없어도 음식물에
따라서는 일시적으로 설사를 할 수 있습니다.
기름진 것, 소화가 잘 안 되는 것, 찬 것, 상한
것 등을 먹었을 때가 바로 그렇습니다.

주의해야 할 것은 설사에 피나 고름이 섞여
있거나 설사와 함께 발열, 구토, 복통, 무기력증
등의 증상이 나타나는 경우입니다.

③ 변비에 대하여

사람들은 일반적으로 하루에 한 번씩 똥이 나오지 않는 것, 곧 양이나 횟수가 적은 것을 변비라고 알고 있는 듯합니다.

그러나 진짜 변비는 똥이 굵거나 딱딱하여, 배변 때 고통스럽거나 항문에 상처가 나서 통증이나 출혈이 있는 증세를 말합니다. 이럴 때는 의사의 치료를 받아야 합니다. 똥이 부드럽고 배변 때 특별한 증상이 없다면, 다소 횟수가 적어도 변비라기보다는 단순히 똥이 나오지 않는 것이라고 하는 편이 옳습니다.

변비의 원인은 지방이나 채소, 과일 등이 부족할 때, 절대적인 섭취량이 적을 때, 소화가 잘 되는 음식만 먹었을 때, 운동 부족, 수분 부족 등을 들 수 있습니다. 그러나 어린이의 경우에는 종종 배변 훈련에 문제가 있기도 합니다. 지나치게 엄하거나 강제로 배변 훈련을 시키거나 똥을 억지로 참게 하여 변비가 생기기도 한다는 사실은 의외로 잘 알려져 있지 않은 것 같습니다.

어린이 변비는 병이 원인인 경우보다는, 생활 습관이나 정신적인 원인이 많습니다.

3. 똥은 물을 원한다

많은 사람들이 설사를 하거나 변비에 걸리면 곧바로 약을 먹으려고 합니다. 하지만 설사는 뱃속의 나쁜 것을 내보내기 위한 것으로, 나와야 하니까 나오는 것입니다. 따라서 무조건 멎게 하는 것도 문제입니다. 변비도 마찬가지입니다. 관장이나 약은 부차적인 것이므로, 먼저 원인을 생각해야 합니다.

그래서 설사와 변비에 모두 효과가 있는 '물'을 충분히 먹는 것이 무엇보다 중요합니다. 특히 설사를 하면 몸에서 지나치게 수분이 많이 빠져나가므로, 그만큼 수분을 보충해 주지 않으면 탈수증에 걸립니다.

똥에 뭔가 이상이 있을 때는 먼저 마시고 싶은 만큼, 마실 수 있는 만큼 물을 마셔서 반드시 수분을 보충하는 것이 좋습니다.

네버랜드 과학 그림책

1 으앙, 이가 아파요
이마이 유미코 그림, 나나오 준 글 | 이선아 옮김

충치균이 직접 가르쳐 주는
충치의 원인과 균의 번식,
그리고 충치 예방법!
너도 충치균과 친구할 거니?

2 시원한 응가
모리야 루리 그림, 나나오 준 글 | 이선아 옮김

똥은 왜 나올까?
소화와 배변의 원리와
똥과 방귀가 나오는 이유를
시원하게 알려 주는 책!

3 내 배꼽 볼래?
하세가와 도모코 그림, 나나오 준 글 | 이선아 옮김

배꼽은 네가 엄마 뱃속에
있을 때 엄마와 너를 이어 준
소중한 끈이란다. 반드시
깨끗하게 관리해야 해!

4 등을 쭉!
나가노 히데코 그림, 고바야시 마사코 글 | 이선아 옮김

뼈와 근육의 역할과 성장을
알려 주는 책. 이제부터
자세 바르게 하라고
잔소리 하지 않으셔도 돼요!

5 눈물아, 고마워
이마이 유미코 그림, 고바야시 마사코 글 | 이선아 옮김

눈물이 나오는 이유와
눈물이 하는 일을 알려 준다.
귀여운 눈물 알갱이의 충고,
"눈을 함부로 비비면 안 돼!"

6 몸한테 여보세요
후쿠다 이와오 그림, 나나오 준 글 | 이선아 옮김

의사 선생님을 보기만 해도
겁을 먹는 어린이를 위한 책.
건강 진단이 단지 몸한테
'여보세요' 하는 것이라 설명한다.

7 두근두근 예방 주사
오카베 리카 그림, 고바야시 마사코 글 | 이선아 옮김

아픈 데가 없어도 맞는 예방 주사.
예방 주사가 꼭 필요한 이유를
알기 쉽게 설명하고 주사에 대한
두려움을 없애 준다.

8 피는 부지런해
세베 마사유키 그림, 고바야시 마사코 글 | 이선아 옮김

적혈구, 백혈구, 혈소판의
역할을 알려 주는 책.
만화 같은 그림이 피에 대한
부정적인 시각을 없애 준다.

모리야 루리(1961~)는 도쿄에서 태어났다. 어릴 때부터 그림을 잘 그렸고, 고등학교를 졸업한 후 본격적으로 그림 공부를 했다. 어린 시절, 위가 약해서 '똥'에 대한 여러 가지 추억이 있다. 이 책은 그 경험을 살려 그린 첫 번째 책이다. 현재 신선한 화풍으로 활발하게 활동하고 있다.

나나오 준(1936~)은 아키타 현에서 태어났다. 다마가와 대학을 중퇴한 뒤, 아동시설 지도원, 학습지 편집장을 지냈으며, 현재 어린이용 과학 사진 분야에서 책·잡지의 기획 편집 일을 하고 있다. 지은 책으로는《으앙, 이가 아파요》,《내 배꼽 볼래?》, 《지무탄의 북》,《아카네 유년 컬러 도감 12권》,《어린이의 계절》들이 있다.

오스카 쇼지(1927~)는 도쿄에서 태어났다. 도쿄 치과대학을 졸업했다. 의학 박사이며 '똥'과 관련된 대장균 연구로 학위를 받았다. 현재 도쿄 가정대학 육아학과 교수로 재직중이다. 육아 지도에 전념하고 일본의 신문, 텔레비전에서 '아기 선생님'으로 활약중이다. 지은 책으로는《잡초 육아법》들이 있다.

이선아(1967~)는 부산에서 태어나 부산대학교 예술대학 미술학과를 졸업한 뒤, 좋은 그림책을 우리말로 소개하면서 번역 일을 시작했다. 현재 어린이책 전문기획실 햇살과나무꾼에서 일어 번역 팀장으로 일하고 있다. 옮긴 책으로는《씩씩한 마들린느》,《아프리카여 안녕!》, 《라치와 사자》,《토통 여우》,《앗, 깜짝이야》,《엄마처럼 될래요》들이 있다.

시원한 응가

초판 제1쇄 발행일 2002년 6월 10일
초판 제32쇄 발행일 2013년 4월 20일
지은이 모리야 루리(그림), 나나오 준(글) 옮긴이 이선아
발행인 전재국 발행처 (주)시공사
주소 137-879 서울시 서초구 서초동 1628-1
전화 영업 2046-2800 편집 2046-2825~8
인터넷 홈페이지 www.sigongjunior.com

ISBN 978-89-527-2359-8 74400
ISBN 978-89-527-2421-2 (세트)

*시공주니어 홈페이지 회원으로 가입하시면 다양한 혜택이 주어집니다.
*잘못 만들어진 책은 구입하신 서점에서 바꾸어 드립니다.